Canada

Ouvrages

n.

5-942178-9

créé par :

Amérique Jeunesse
ion des
Québec Amérique inc.

de la Commune Ouest
(Québec)
Canada

0000 F 514.499.3010
bec-amerique.com

e financière du
a par l'entremise du
veloppement de l'industrie
nos activités d'édition.

SODEC Québec

ec – Programme de crédit
livres – Gestion SODEC.

érique bénéficient du
n globale du Conseil
tiennent également à
son appui financier.

ux questions

saures

ur Génius

RIQUE Jeunesse

Catalogage avant publication de Bibliothèque et Archives

Professeur Génius
Les dinosaures
(Mes carnets aux questions)
Comprend un index
Pour les jeunes de 7 ans et plus

ISBN 2-7644-0843-9

1. Dinosaures - Ouvrages pour la jeunesse. 2. Dinosaure
illustrés - Ouvrages pour la jeunesse. I. Titre. II. Collectic

QE861.5.P76 2006 j567.9 C200

Les dinosaures, Mes carnets aux questions, a été conçu e

Québe
une div
Éditions
3e étage
329, ru
Montréa
H2Y 2E

T 514.49
www.qu

Imprimé et relié à Singapour.
10 9 8 7 6 5 4 3 2 1 12 11 10 09 08 07 06

Nous reconnaissons l'ai
gouvernement du Cana
Programme d'aide au d
de l'édition (PADIÉ) pou

Conseil des Arts du Canada

Gouvernement du Québ
d'impôt pour l'édition d

Les Éditions Québec Ar
Programme de subvent
des Arts du Canada. Ell
remercier la SODEC po

Les personnages qui peuplent l'univers du professeur Génius sont pure fantaisie. Toute ressemblance avec des personnes vivantes serait fortuite. Bien que les faits qu'ils contiennent soient justes, les articles de journaux, lettres d'époque, livres et revues tirés de la collection personnelle du professeur sont également issus de l'imaginaire des créateurs de cet album.

www.geniusinfo.net

Table des matières

À toi qui ouvres ce carnet,

As-tu déjà été effrayé par la terrible mâchoire de *Tyrannosaurus* ou impressionné par la taille gigantesque de *Diplodocus* ? Depuis leur découverte, les dinosaures nous fascinent et nous attirent... Je te propose d'explorer le monde coloré, surprenant et parfois même attendrissant de ces créatures disparues. Quand les dinosaures sont-ils apparus ? De quelle couleur étaient-ils ? Quels étaient les plus grands ? Comment sont-ils disparus ? Voilà quelques-unes des questions qui m'ont été envoyées par de jeunes curieux comme toi. Au fil des années, j'en ai recueilli bien d'autres auxquelles je réponds dans ce carnet. Pour t'aider à bien comprendre mes explications, j'ai collé des photographies, des dessins et j'ai réalisé des schémas très simples. J'espère que tu apprécieras ton voyage dans ce monde lointain et fabuleux...

Bonne lecture,
professeur Génius

Deinonychus

Cher professeur Génius,

Je suis allé visiter le Musée d'histoire naturelle avec ma classe. J'ai adoré les fossiles de dinosaures ! Notre professeur, madame Lizzie Latortue, nous a expliqué que ces reptiles géants vivaient il y a de cela très, très longtemps. Pouvez-vous me dire quand au juste ils sont apparus ?

Quentin, 9 ans

Mon cher Quentin,

Lorsque j'avais ton âge, je passais les vacances d'été à Paris. Mes grands-parents habitaient tout près du Musée national d'histoire naturelle. J'y passais souvent mes samedis après-midi à contempler les squelettes de dinosaures. J'étais, tout comme toi, fasciné par ces fabuleuses créatures préhistoriques... Pour en revenir à ta question : les dinosaures sont apparus il y a environ 230 millions d'années et ils ont vécu pendant un peu plus de 164 millions d'années. Ce qui fait, si tu connais bien tes mathématiques, qu'ils sont disparus il y a 66 millions d'années. (Nous, les humains, sommes sur Terre depuis depuis environ 5 millions d'années « seulement » !)

L'histoire de la Terre se passe sur des millions d'années et il est difficile de s'imaginer des durées aussi grandes. Des savants se sont amusés à ramener l'histoire de la Terre à une seule journée. Voyons ce que cela donne. La Terre se forme au début de la journée,

00:00

Naissance de la Terre
(4 600 millions d'années)

22:07

Premiers amphibiens
(360 millions d'années)

21:31

Premiers poissons
(475 millions d'années)

04:10

Premières bactéries
(3 800 millions d'années)

à 0 heure. Les premières cellules vivantes apparaissent vers 4 heures du matin. Elles ressemblent beaucoup à nos bactéries. Jusque vers 22 h 30, la vie se développe surtout dans les océans. À 22 h 48 les dinosaures apparaissent. Ils disparaissent 51 minutes plus tard, à 23 h 39 ! L'être humain apparaît à 23 h 59, une minute seulement avant la fin de la journée !

Génius

22:49

Premiers mammifères
(225 millions d'années)

22:48

Premiers dinosaures
(230 millions d'années)

23:12

Premiers oiseaux
(150 millions d'années)

22:21

Premiers reptiles
(315 millions d'années)

23:59

Apparition des humains
(5 millions d'années)

Bonjour Génius,
Pouvez-vous me dire à quoi ressemblait la Terre au temps des dinosaures ?
Merci.
Latifa, 10 ans

Tu l'as deviné, Latifa : la Terre au temps des dinosaures n'était pas du tout celle que nous connaissons aujourd'hui ! Les dinosaures ont vécu durant une ère que les savants appellent Mésozoïque. Celle-ci peut elle-même être divisée en trois périodes plus petites : le Trias, le Jurassique et le Crétacé. Laisse-moi te les présenter brièvement.

feuilles de ginkgo

Au moment de l'apparition des dinosaures, au TRIAS, il n'y avait qu'un seul et gigantesque continent, la Pangée. Le climat était chaud et humide. Des fougères géantes, les ancêtres des conifères, des ginkgos et des prêles poussaient près des côtes, tandis qu'au milieu de la Pangée, les terres étaient désertiques. Les reptiles étaient les rois du Trias, tu sais. Il y en avait partout ! Dans les airs, dans l'eau et sur la terre, où ils vivaient aux côtés des premiers petits mammifères.

prêle

Au JURASSIQUE, les oiseaux ont fait leur apparition dans le ciel. La Pangée a commencé à se séparer en plusieurs morceaux qui allaient devenir les continents actuels. Le climat était encore chaud et humide et les forêts de conifères, nombreuses.

Au CRÉTACÉ, les continents ont continué de s'éloigner les uns des autres. Les plantes à fleurs, comme les rosiers, et les arbres feuillus, comme les chênes et les érables, sont apparus à cette époque, de même que les insectes pollinisateurs (abeilles, guêpes et papillons) qui transportent le pollen de fleur en fleur. Les dinosaures sont disparus à la fin du Crétacé, mais ils ont laissé la place à bien d'autres animaux !

Génius

Cher professeur,

Quels étaient les autres reptiles qui vivaient sur la Terre au moment de l'arrivée des dinosaures ?

Grégory, 9 ans

Bonjour Grégory,

Comme je l'écrivais à Latifa, le Trias, cette période qui a vu naître les dinosaures, était l'âge d'or des reptiles ! Sur la terre, plusieurs groupes de reptiles primitifs (ou anciens) étaient particulièrement importants. *Saurosuchus* pesait 2 tonnes et se nourrissait de presque tous les autres animaux. *Euparkeria* était un autre reptile au corps très mince. Il ressemblait vaguement aux crocodiles d'aujourd'hui. Sur les terres se promenait aussi *Lystrosaurus*, un reptile très bizarre, mangeur de plantes, qui possédait deux grosses dents et un bec

Saurosuchus

pour couper et arracher les feuilles. D'autres reptiles, les ptérosaures, s'élançaient du sommet des arbres et planaient dans les airs grâce à des sortes d'ailes faites de peau. Les reptiles peuplaient aussi les océans. Les ichtyosaures, par exemple, ressemblaient à des dauphins. Certains pouvaient mesurer jusqu'à 15 mètres de long ! Tu vois, Grégory, les dinosaures ont dû rencontrer tous ces animaux. Mais très vite, ils sont devenus les plus nombreux et ont dominé la vie sur Terre.

À très bientôt,

Génius

ptérosaure

Shonisaurus

Monsieur Génius,

Comment font les chercheurs pour étudier les dinosaures ?

Merci beaucoup.
Ming, 10 ans

Très chère Ming,

Les chercheurs dont tu parles sont des paléontologues. Ce sont de véritables détectives qui étudient les dinosaures comme on mène une enquête. Les indices qu'ils cherchent sont des fossiles. Sais-tu que les fossiles sont des restes d'êtres vivants qui ont existé dans le passé ? Pour les dinosaures, ce sont le plus souvent des os, des dents, des crottes ou des traces de pas. Pour les trouver, les paléontologues

vont en montagne ou au bord d'une rivière, sur un terrain qui renferme des roches sédimentaires. Ces roches sont faites de débris d'autres roches ou de restes de plantes et d'animaux qui se sont accumulés au fil des ans. Les roches sédimentaires contiennent souvent des fossiles. Il arrive parfois que les fossiles soient à moitié enterrés dans le sol, ou dégagés de la roche. Le paléontologue n'a alors qu'à se pencher pour les ramasser ! D'autres fois, les fossiles sont coincés dans la roche. Le paléontologue utilise alors des marteaux pour casser la roche et des pinceaux pour nettoyer le fossile délicatement. Il reste à notre « détective » une chose importante à trouver : l'âge de son fossile. Il se sert pour cela de plusieurs méthodes. L'une d'elles consiste à déterminer

pioche

règle

bloc-notes

l'âge de la roche elle-même.

De façon générale, les roches qui se trouvent le plus en profondeur sont plus anciennes que celles qui sont plus en surface. Lorsque le paléontologue trouve un fossile dans un terrain, il lui suffit de connaître l'âge du terrain qui est aussi l'âge de son fossile !

Les paléontologues sont des chercheurs passionnés et très patients : une équipe américaine a déjà passé 8 ans à déterrer le squelette d'un dinosaure !

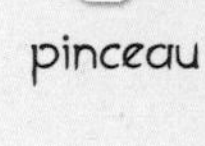

pinceau

Peut-être qu'un jour, Ming, tu iras toi aussi faire des fouilles, qui sait ?

À bientôt,

Génius

gants

Bonjour professeur Génius,

Est-ce qu'on connaît tous les dinosaures qu'il y a eu sur la Terre ?

Merci et au revoir

Thomas, 7 ans

Bonjour Thomas,

Jusqu'à présent, les découvertes des paléontologues ont permis d'identifier près de 800 espèces de dinosaures. Mais certains spécialistes estiment que 500 000 espèces de dinosaures auraient existé ! C'est 600 fois plus que ce qu'on a retrouvé jusqu'à présent...

Tu sais peut-être, Thomas, que pour décrire une espèce, les chercheurs se servent des fossiles qu'ils trouvent, tel un squelette complet ou partiel, voire même grâce à seulement un os ou une dent ! Or tu dois savoir que les fossiles ne se forment que très rarement. Pour qu'un animal se fossilise, il faut qu'il soit enfoui rapidement après sa mort.

Il peut être recouvert de boue, de sable très fin ou de cendres volcaniques. Imaginons, Thomas, un petit dinosaure qui est blessé après un terrible combat. Il parvient à s'enfuir et cherche un lac pour se rafraîchir. Malheureusement, ses blessures sont terribles et il meurt peu de temps après. Son corps, enseveli rapidement par la boue, se décompose alors au fond du lac. Jette un œil sur les illustrations de mon Atlas de la Terre,

1. Le coquillage se dépose au fond de l'eau. Sa coquille, très dure, est conservée.

2. La coquille est recouverte de sable fin et de cailloux qui se transforment en roche sédimentaire. La coquille est emprisonnée dans cette roche.

elles te décrivent très bien le processus de fossilisation avec un coquillage.

Si aujourd'hui les paléontologues n'ont retrouvé que 800 espèces de fossiles, c'est qu'une toute petite quantité seulement de dinosaures a été fossilisée. De plus, de nombreux terrains qui renferment certainement des fossiles ne sont pas encore arrivés en surface ou sont situés sous les océans.

3. Des millions d'années passent et ces roches sont ramenées à la surface après des mouvements de la croûte terrestre. La coquille peut être découverte par un paléontologue.

Tu vois, Thomas, nous ne connaissons pas TOUS les dinosaures qui ont vécu sur la Terre. Et c'est bien heureux car nous pouvons supposer qu'il nous reste encore de belles surprises à découvrir !

Ton ami Génius

Monsieur Génius,

Je ne comprends pas pourquoi dans un des livres que j'ai lus, il est question d'un dinosaure qui s'appelle Brontosaurus, alors que ce même dinosaure dessiné dans un autre livre porte le nom d'Apatosaurus. Est-ce une erreur ?

À bientôt

Laurence, 10 ans

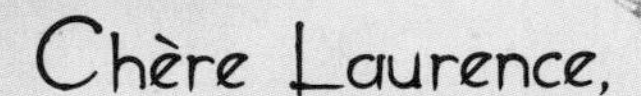

Chère Laurence,

Je te félicite ! Tu as mis le doigt sur une erreur, je peux même dire sur un très bel exemple d'erreur d'identification ! Il s'agit de l'histoire d'un chercheur qui s'est trompé en croyant avoir trouvé un nouveau dinosaure. Je t'explique. En 1877, le professeur Marsh découvre le fossile d'un dinosaure ressemblant au célèbre *Diplodocus*, cet herbivore au long cou. Il baptise cette nouvelle espèce *Apatosaurus*, ce qui veut dire dinosaure trompeur. Deux ans plus tard, le même professeur Marsh pense découvrir une nouvelle espèce de dinosaure. Il l'appelle alors *Brontosaurus*. Mais voilà qu'en 1903, un autre chercheur qui étudie ces précieux fossiles se rend compte que ces ossements appartiennent en fait à la même espèce de dinosaure ! Que fait-on dans un cas comme celui-là ? Eh bien, on conserve toujours le premier nom qui a été donné. C'est la règle !

Ici, notre bon vieux dinosaure aura donc hérité du nom d'*Apatosaurus*. Encore aujourd'hui, dans certains livres, on retrouve le nom de *Brontosaurus*. Tu devines pourquoi ? Eh bien, tout simplement parce que les auteurs ne sont pas au courant de ce que nous savons !

Apatosaurus

Ce qui est certain, c'est qu'*Apatosaurus*, le « dinosaure trompeur », a finalement un nom qui va tout à fait avec son histoire !

À plus tard,

Ton ami Génius

Brontosaurus

Bonjour Gabriel,

Lorsque j'avais ton âge, je collectionnais les figurines de dinosaures. Je jouais souvent à les placer dans deux groupes séparés et je les faisais se dévorer entre eux après de longs combats ! On imagine souvent que les dinosaures étaient de terribles mangeurs de viande. Certains l'étaient, c'est vrai, mais pas tous. Voyons un peu...

C'est la forme des dents et des mâchoires qui nous renseigne sur l'alimentation des dinosaures. Les paléontologues ont découvert que certains dinosaures mangeaient uniquement des végétaux. On dit qu'ils étaient HERBIVORES. Parmi ceux-là, on trouvait les dinosaures au long cou, comme *Diplodocus*. Celui-là avait des dents comme des stylos. Il les utilisait comme les piques d'un râteau pour ramasser les feuilles dans les arbres. Les dents et la mâchoire de *Diplodocus* ne lui permettaient pas de mâcher : il avalait directement les feuilles qu'il arrachait.

D'autres dinosaures herbivores avaient des dents plates en arrière de leur mâchoire qui permettaient de mâcher les feuilles.

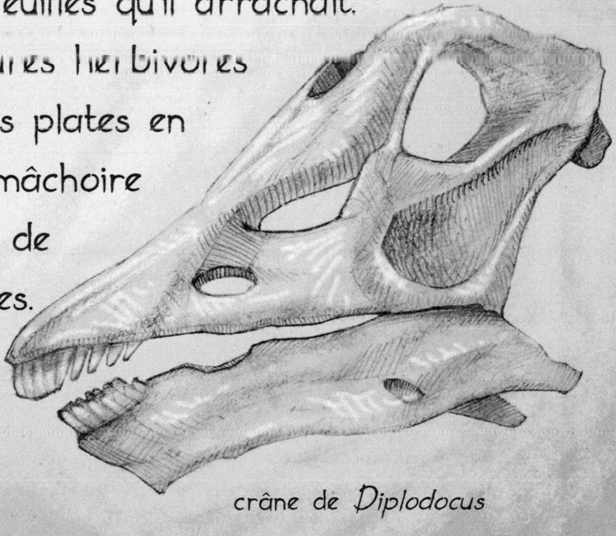

crâne de *Diplodocus*

Les dinosaures qui mangeaient de la viande, du poisson ou des insectes étaient CARNIVORES. Dans ce groupe, on trouvait le grand et féroce *Tyrannosaurus*. Il avait une mâchoire très puissante et des dents aiguisées comme des couteaux à viande. Leur forme légèrement recourbée lui permettait de tenir fermement son repas entre ses dents. Enfin, un dernier groupe de dinosaures mangeait un peu de tout, comme nous ! On dit qu'ils étaient OMNIVORES. *Pelecanimimus*, par exemple, avait un bec muni de près de 220 minuscules dents très pointues. Elles lui permettaient à la fois de manger de la viande et de couper des feuilles.

crâne de *Tyrannosaurus*

Les paléontologues retrouvent parfois, avec un squelette, le dernier repas avalé par le dinosaure juste avant sa mort !

Il leur arrive aussi de trouver des crottes fossilisées qui renferment les restes d'un repas.

crâne de *Pelecanimimus*

En regardant tout cela de près, ils peuvent en apprendre plus sur ce que mangeaient les dinosaures.

Cette histoire m'a donné une faim de loup ! Je te quitte, je vais voir ce qu'il y a de bon dans ma cuisine « d'omnivore » !

À bientôt,

Génius

Bonjour Professeur !

Mes cousins m'ont dit que les plantes et les animaux étaient rangés dans des familles. Est-ce que c'est la même chose pour les dinosaures ?

Merci beaucoup.
Mohammed, 11 ans

Bonjour Mohammed et bonjour à tes cousins également,

Chaque début d'année, je ressens le besoin de mettre un peu d'ordre dans mes papiers. Je classe alors mes extraits encyclopédiques, mes articles de journaux, mes revues et tout ce qui s'éparpille sur mon bureau. Ce besoin de tout classer est normal, tu sais. Les scientifiques ont, eux aussi, la manie de vouloir tout ranger dans des catégories. Tes cousins ont raison : les plantes et les animaux sont tous classés dans des familles. Le chat, par exemple, appartient à la famille des félidés, comme la panthère et le léopard. Pour les dinosaures, c'est la même chose. Les dinosaures sont classés en deux groupes selon la forme de leur bassin (le bassin est cette partie du squelette qui relie la colonne vertébrale aux pattes arrière). Ainsi, on retrouve le groupe des dinosaures Saurischiens, dont le bassin ressemble à celui des lézards, et le groupe des dinosaures Ornithischiens, dont le bassin ressemble à celui des oiseaux. Pour comprendre la suite, tu peux t'aider du schéma que je t'ai dessiné à la page suivante.

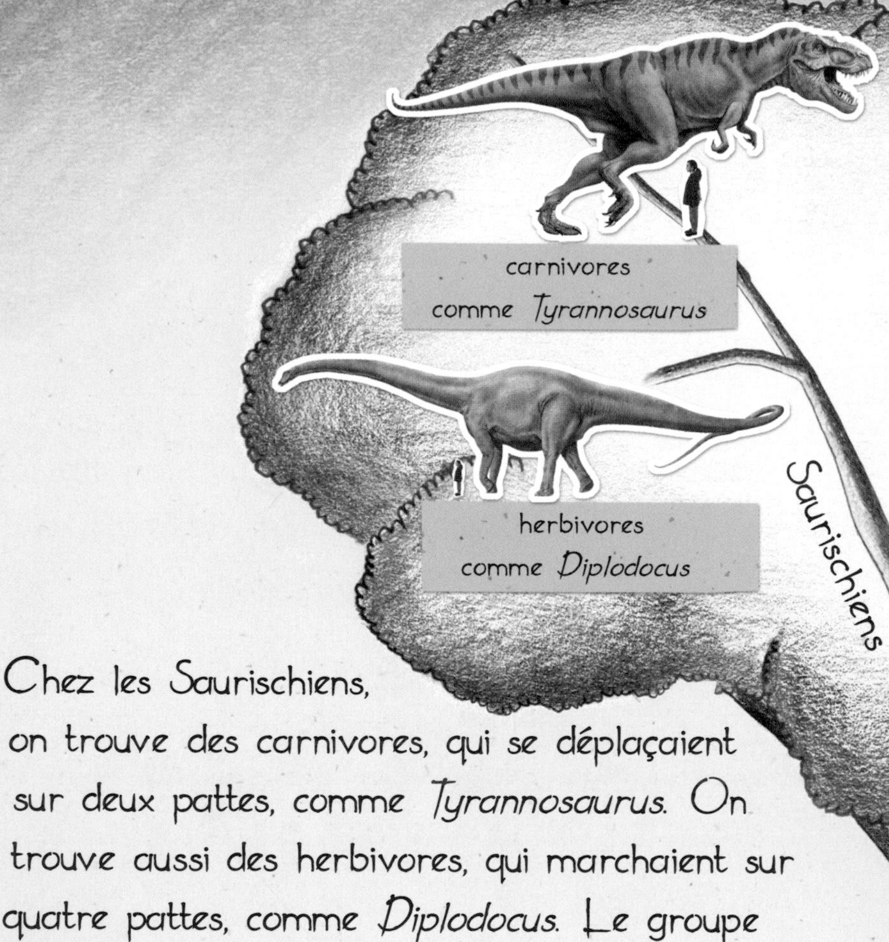

Chez les Saurischiens, on trouve des carnivores, qui se déplaçaient sur deux pattes, comme *Tyrannosaurus*. On trouve aussi des herbivores, qui marchaient sur quatre pattes, comme *Diplodocus*. Le groupe des Ornithischiens, pour sa part, ne compte que des herbivores. Certains marchaient sur quatre pattes, comme *Triceratops*, *Ankylosaurus* et *Stegosaurus*. D'autres marchaient sur deux pattes, comme *Pachycephalosaurus* et *Parasaurolophus*.

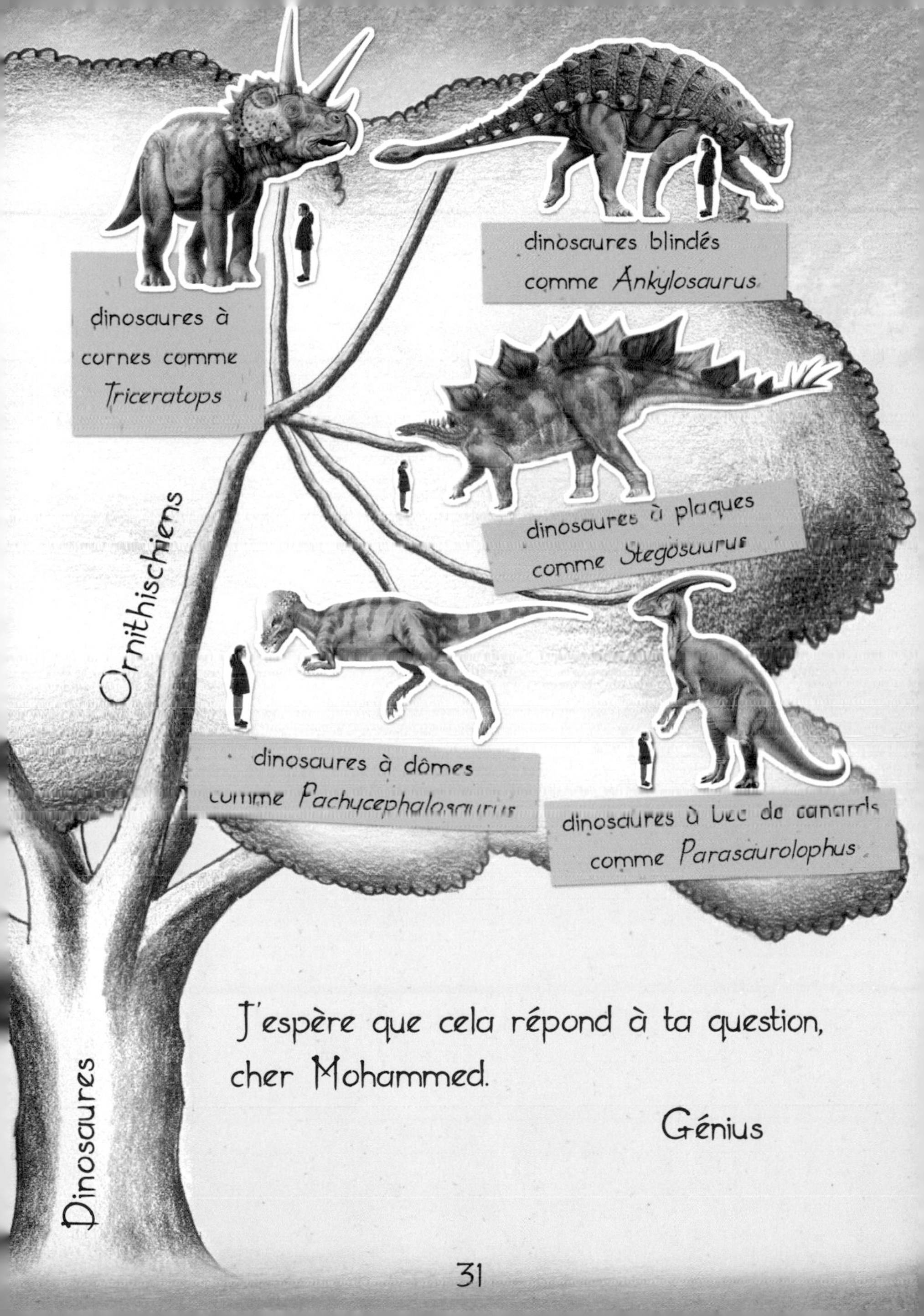

J'espère que cela répond à ta question, cher Mohammed.

Génius

Monsieur Génius,

Les dinosaures marchaient-ils en se dandinant comme les lézards ou se traînaient-ils comme les crocodiles ?
Merci pour votre réponse
Mélanie, 8 ans

Ma chère Mélanie,

Il m'est arrivé parfois d'aller au zoo lorsque j'étais tout jeune. Je me demandais toujours si les crocodiles n'étaient pas gênés par leur ventre qui touchait presque le sol quand ils se déplaçaient. Tu vois, Mélanie, les dinosaures sont différents des crocodiles, parce que leur ventre ne traînait pas par terre. Sais-tu pourquoi ? Chez les crocodiles et les autres reptiles, les membres sont placés de chaque côté du corps ou alors sont à moitié dressés seulement. Lorsque l'animal se déplace, cette position l'amène à faire des sortes de « pompes ». Connais-tu cet exercice de musculation ?

Il faut s'allonger face au sol puis abaisser et relever son corps en pliant et en tendant les bras. Cette position des pattes permet aux crocodiles d'avoir le ventre un peu au-dessus du sol lorsqu'ils marchent. Imagine comme cet « *exercice* » est difficile à faire tout au long de la vie ! Les dinosaures, de leur côté, possédaient des membres verticaux, dressés directement sous leur corps, comme chez les oiseaux et les mammifères. Grâce à cette position, le poids du corps du dinosaure était directement soutenu sans appuyer trop fort sur les pattes et sans demander une trop grande dépense d'énergie pour le porter. Voilà pourquoi les dinosaures ont certainement pu utiliser leur énergie à d'autres choses, comme devenir très grands, courir et avoir de très longs cous...

À très bientôt j'espère,

Ton Génius

Objet: Le bec des dinosaures
Date : 8 août 2006
À : professeur Génius

Bonjour Monsieur Génius,
Certains dinosaures avaient une sorte de bec d'oiseau. À quoi servait-il ?

Yasmina, 9 ans

Chère Yasmina,

Corythosaurus se servait de son bec pour arracher les feuilles et les cônes de pin. Il pouvait mâcher grâce aux nombreuses dents à l'arrière de la mâchoire. On a même retrouvé sur le squelette d'un autre dinosaure à bec de canard, *Edmontosaurus*, près de 2000 dents à l'arrière du bec ! Ces petites dents jouaient un peu le rôle d'une râpe à fromage. Elles tranchaient et broyaient ce que le dinosaure avait brouté. Peut-être as-tu remarqué un bec chez d'autres dinosaures ? *Triceratops* en possédait un particulièrement crochu. Grâce à ce bec,

crâne de *Corythosaurus*

il pouvait manger presque tous les végétaux en arrachant les feuilles et les tiges très dures. Ensuite, il broyait son repas grâce aux nombreuses rangées de dents qu'il avait au fond de la mâchoire. *Oviraptor* est un autre dinosaure qui avait un bec. Il s'en servait certainement pour manger des lézards et des petits mammifères ressemblant à des souris. Il n'avait pas de dents pour mâcher, mais, selon les paléontologues, les muscles qui ouvraient et fermaient son bec lui permettaient de donner des coups d'une très grande force.

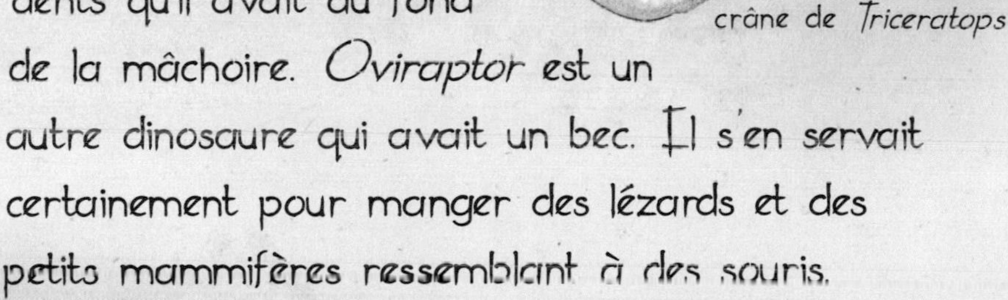

crâne de *Triceratops*

crâne d'*Oviraptor*

Voilà qui répondra sans doute à ta question, Yasmina.

Génius

Professeur Génius,

Quel est le dinosaure qui avait les plus grandes dents ?

Merci.
François, 7 ans

Bonjour François,

C'est *Tyrannosaurus* qui détient le record des plus grandes dents ! Il en possédait environ 50. Pas 50 petites dents de rien du tout mais 50 dents de 15 à 20 centimètres de long ! Impressionnant, non ? Le nom *Tyrannosaurus* signifie « reptile tyran ». Sais-tu ce qu'est un tyran ? Un tyran est une personne cruelle qui détient le pouvoir sur tous les autres.
Et tu sais quoi ? *Tyrannosaurus* portait très bien son nom ! Avec ses longues dents aux bords découpés comme de minuscules

vaguelettes pointues, il ne devait laisser absolument aucune chance à ses victimes... Les dents qui se trouvaient placées à l'avant des mâchoires étaient plus étroites. Ce qui devait être parfait pour transpercer la chair. Il arrachait ensuite ses bouchées grâce aux muscles très puissants qui actionnaient ses mâchoires.

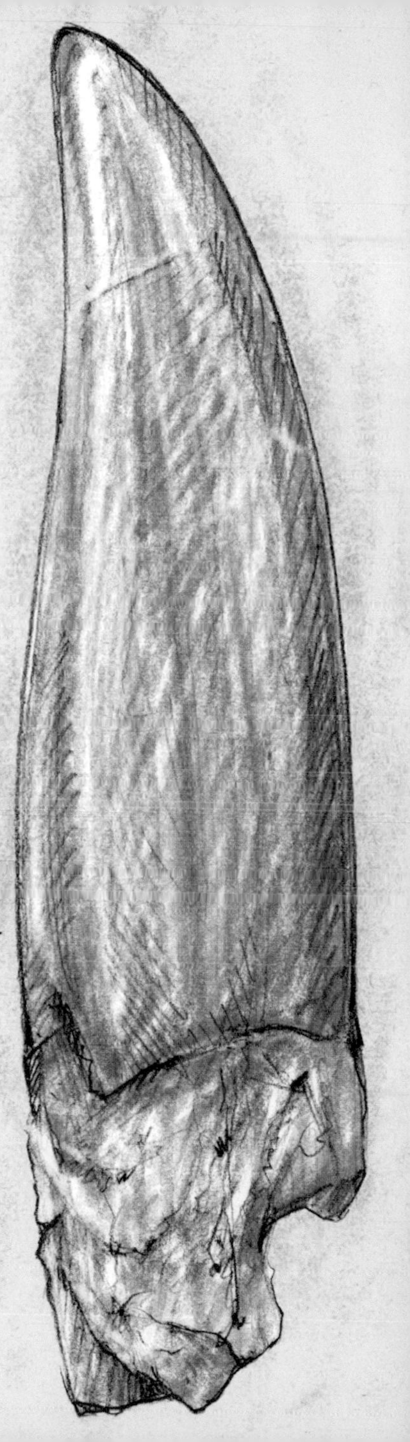

Je t'ai dessiné une dent de *Tyrannosaurus* grandeur nature. Comme tu peux le voir, elle occupe toute la hauteur de la page, qui mesure 19 centimètres.

On peut tout à fait imaginer, cher François, que lorsqu'il avait une proie entre les dents, celle-ci avait bien peu de chances de s'échapper. Brrrr ! Je frissonne à cette idée ! Il semble que l'un des plats favoris de *Tyrannosaurus* ait été les dinosaures à bec de canard, des herbivores qui se déplaçaient en troupeaux.

Professeur Génius

Cher Génius,
Est-ce vrai que les dinosaures avalaient des pierres toutes crues?
Merci de me répondre.
Amandine, 9 ans

Très chère Amandine,

Certains dinosaures mangeurs de plantes, les dinosaures au long cou, avalaient en effet des pierres. J'ai un ami paléontologue qui en a même toute une collection dans ses vitrines. Ce sont des gastrolithes. Ce mot vient du grec, une très vieille langue qui a donné naissance à plusieurs mots du français. Dans gastrolithe, « gastro » veut dire estomac et « lithe » veut dire pierre. On peut donc parler de pierres d'estomac !

gastrolithes

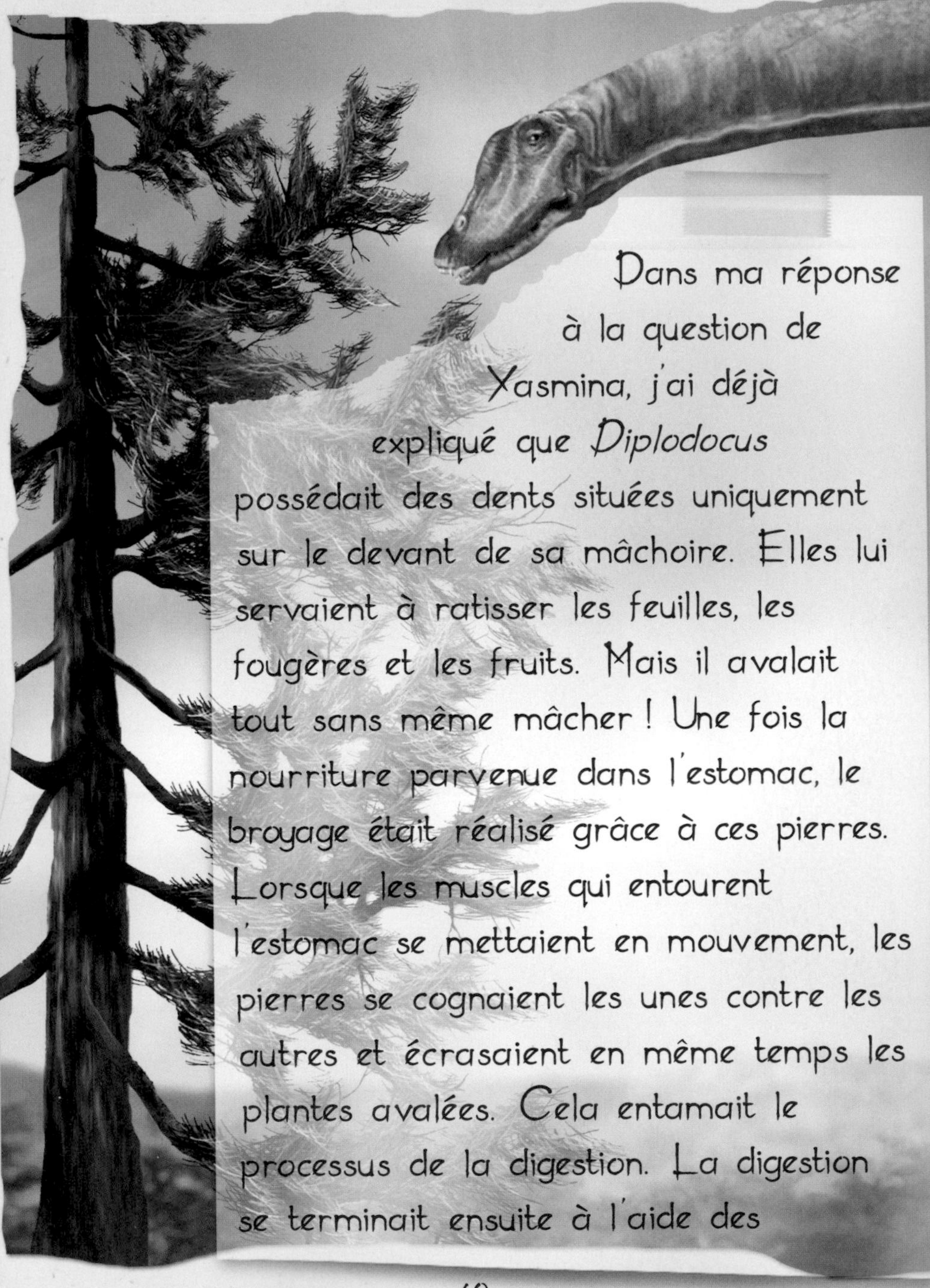

Dans ma réponse à la question de Yasmina, j'ai déjà expliqué que *Diplodocus* possédait des dents situées uniquement sur le devant de sa mâchoire. Elles lui servaient à ratisser les feuilles, les fougères et les fruits. Mais il avalait tout sans même mâcher ! Une fois la nourriture parvenue dans l'estomac, le broyage était réalisé grâce à ces pierres. Lorsque les muscles qui entourent l'estomac se mettaient en mouvement, les pierres se cognaient les unes contre les autres et écrasaient en même temps les plantes avalées. Cela entamait le processus de la digestion. La digestion se terminait ensuite à l'aide des bactéries, qui sont de minuscules organismes présents dans l'intestin. Je dois ajouter que *Diplodocus* avalait ces pierres en même temps que ses repas. Elles restaient stockées dans son estomac ou dans son gésier, une poche située juste avant l'estomac comme chez les oiseaux. Une fois usés et trop arrondis, ces cailloux étaient évacués avec les crottes. Voilà pourquoi ces « pierres d'estomac » ne sont que rarement retrouvées à l'emplacement de l'estomac de leur propriétaire mais bien souvent à l'écart. Les oiseaux utilisent le même système aujourd'hui, mais ils avalent des pierres toutes petites, qui ressemblent à du gravier.

À très bientôt,

Ton Génius

Bonjour professeur,

Nous construisons une maquette d'une scène préhistorique, à l'école. Mes amis et moi aimerions savoir si tous les dinosaures étaient très grands ? Je veux dire, est-ce qu'il y en avait des tout petits ?

Nasredine, 11 ans

Bonjour Nasredine,

Il y a quelques années, j'ai accompagné ma chère sœur en Tanzanie. C'est un pays d'Afrique tout à fait magnifique. Nous avons pu voir des girafes, des lions et des éléphants en liberté dans plusieurs réserves. Ces animaux me semblaient alors tellement grands, peut-être aussi parce que je n'étais encore qu'un enfant... Mais tout de même, imagine-toi qu'une girafe mesure jusqu'à 6 mètres de haut : c'est deux fois plus qu'un bus scolaire !

Un éléphant d'Afrique peut peser 6 tonnes, ce qui correspond à 6 fois le poids d'une voiture de taille moyenne ! Les dinosaures, eux, battaient vraiment des records de taille par rapport à ces animaux d'aujourd'hui, qui sont déjà immenses. Certains dinosaures à long cou pouvaient atteindre presque 40 mètres de long, ce qui fait plus de 2 fois la longueur d'un bus. *Brachiosaurus* mesurait 28 mètres de long et pesait jusqu'à 50 tonnes. C'est 9 fois plus qu'un éléphant d'Afrique. *Seismosaurus* mesurait plus de 35 mètres du bout de la tête à la pointe de la queue : il était donc plus long qu'un court de tennis ! Mais, pour répondre à ta question, il existait aussi de tout petits dinosaures. En fait, ils étaient les plus nombreux. Certains n'étaient même pas plus gros que nos oiseaux d'aujourd'hui.

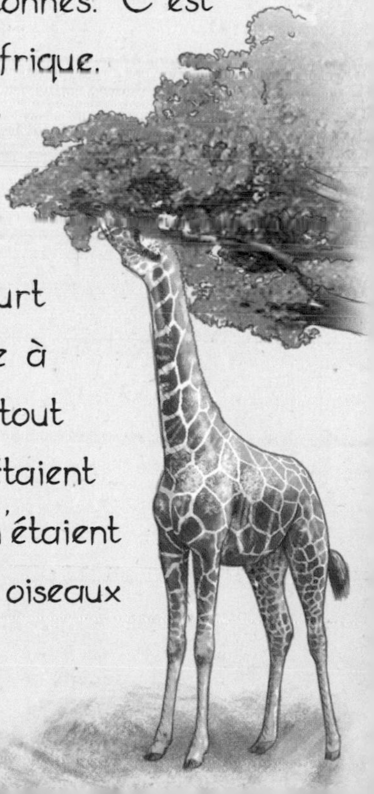

Le petit dinosaure carnivore *Sinosauropteryx* mesurait seulement 1,25 mètre de long et ne pesait pas plus de 10 kilogrammes. *Compsognathus* n'atteignait même pas 1 mètre et pesait moins de 3 kilogrammes. Il ressemblait plus à une poule qu'à un grand dinosaure... Tu vois, Nasredine, les dinosaures n'étaient pas tous des géants. Ce sera bien important d'en tenir compte lors de la construction de votre maquette.

Ton Génius

Est-ce qu'il pouvait y avoir des troupeaux de dinosaures comme nos vaches aujourd'hui ?

Merci.

Louna, 7 ans

Bonjour Louna,

C'est une question très intéressante que tu poses là. Certains dinosaures vivaient effectivement en troupeau, en petit groupe ou en meute, comme les vaches, les cerfs, les éléphants, les loups... Une meute entière de petits carnivores fossilisés a été retrouvée à Ghost Ranch au Nouveau-Mexique, un État des États-Unis. Les dinosaures de petite taille chassaient souvent à plusieurs pour avoir plus de chances de capturer une proie. Je dois te préciser, Louna, que les paléontologues se sont surtout servi des traces de pas fossilisées pour étudier les troupeaux de dinosaures. Ces traces de pas ont été conservées parce que les dinosaures ont marché dans la boue où les pieds ont été moulés. La boue a ensuite séché et a été recouverte rapidement par du sable. De nombreuses empreintes ont été laissées par un groupe de dinosaures au long cou qui marchaient très certainement sur les bords d'une rivière. Ce qui est très intéressant, c'est que des empreintes de grande taille sont en bordure du groupe et des empreintes plus petites au centre. Les paléontologues pensent que les plus jeunes et certainement les femelles restaient au centre du troupeau, protégés par les mâles costauds qui se plaçaient autour pour guetter le danger. Le déplacement en troupeau devait permettre aux dinosaures de parcourir de très grandes distances tout en restant en sécurité. D'autres dinosaures, comme les espèces à bec de canard, vivaient aussi très souvent en troupeaux. Pendant que les uns mangeaient les feuilles, d'autres observaient les parages avec beaucoup d'attention. Si un danger survenait, ils diffusaient des sons qui pouvaient être entendus très loin par tous les animaux du troupeau qui prenaient alors la fuite. Ils évitaient ainsi les attaques de grands prédateurs carnivores. Quelle organisation, tu te rends compte !

À bientôt,

Professeur Génius

Comment faisaient les dinosaures pour ne pas s'écraser sous leur propre poids avec des corps aussi gros ?

Merci
Federico, 8 ans

Bonjour,

Tu as bien raison, Federico ! Avec des poids qui atteignaient parfois 50 tonnes, on peut se demander comment les plus gros dinosaures pouvaient tenir sur leurs pattes. Laisse-moi t'expliquer comment cela était possible, à l'aide de cette illustration que je t'ai trouvée.

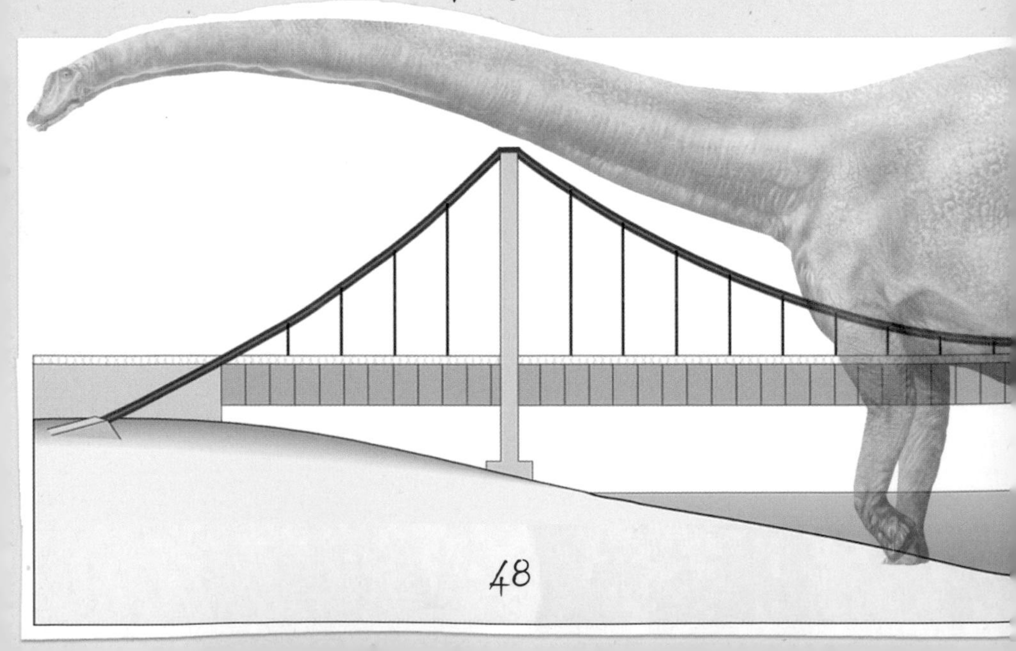

C'est un pont suspendu où la route est soutenue par de très gros câbles. Pourquoi ce dessin de pont ? Figure-toi que l'un des plus gros dinosaures au long cou, *Diplodocus*, était construit un peu comme ce pont !

Les pattes avant et arrière occupaient la place des deux piliers principaux du pont sur lesquels se répartissait tout le poids du dinosaure. Sa colonne vertébrale jouait le rôle des câbles et permettait de porter son énorme ventre.

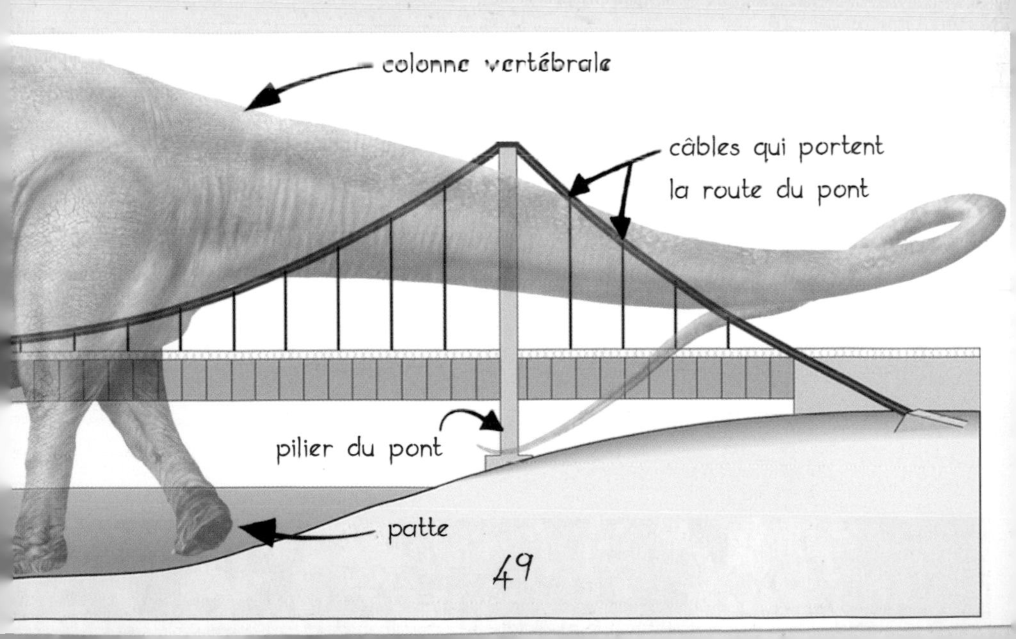

Tu dois savoir aussi que *Diplodocus* avait des vertèbres un peu particulières. Les vertèbres sont les os qui forment les petites bosses au milieu de ton dos et qui constituent la colonne vertébrale. Chez *Diplodocus*, ces os étaient doublés. Cela rendait sa colonne vertébrale encore plus solide ! Grâce à son squelette en pont suspendu et à ses vertèbres très solides, *Diplodocus* pouvait peser 20 tonnes et ne pas s'écraser sous son propre poids !

Ton ami Génius

Est-ce que c'est vrai que certains dinosaures étaient entièrement recouverts d'une sorte d'armure ?

Émilio, 12 ans

Très cher Émilio,

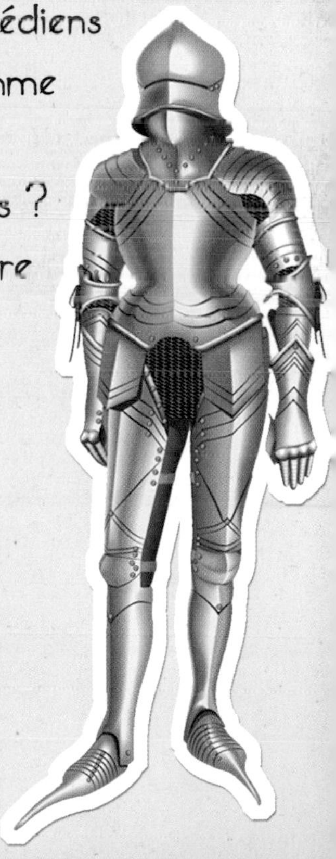

Lorsque j'étais enfant, mon grand-père m'amenait souvent voir des reconstitutions de batailles médiévales. Les comédiens étaient pour l'occasion vêtus comme les chevaliers du Moyen Âge. As-tu déjà observé leurs armures ? Celles-ci étaient taillées sur mesure et recouvraient tout le corps. Les nombreuses plaques qui les constituaient étaient réunies les unes aux autres et permettaient les mouvements. Toutefois, s'il arrivait qu'un soldat tombe à terre, il lui était très difficile de se relever sans qu'on vienne l'aider... Tu vois, Émilio, certains dinosaures herbivores, comme *Ankylosaurus*, possédaient effectivement des armures qui ressemblaient à celles des chevaliers du Moyen Âge ! On les a même baptisés les « dinosaures à cuirasse ». Leurs plaques osseuses incrustées dans la peau les recouvraient de la tête à la queue et empêchaient leurs ennemis d'y planter leurs crocs.

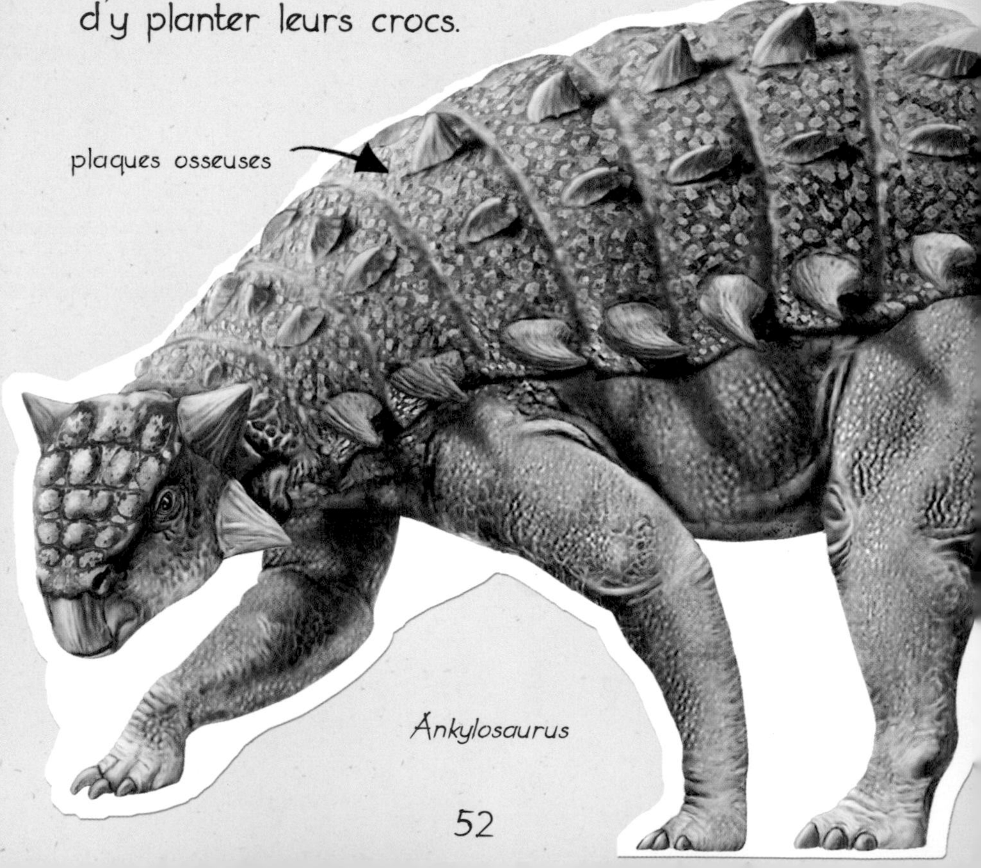

Ankylosaurus

Ces dinosaures pouvaient, comme les chevaliers, se déplacer sans problème parce que les plaques osseuses étaient un peu espacées. Certains, comme *Euoplocephalus*, avaient même le crâne recouvert de ces plaques et les yeux protégés par des paupières osseuses ! L'animal était d'ailleurs armé jusqu'au bout de la queue. Celle-ci portait en effet une massue de 30 kilogrammes qu'il pouvait balancer très rapidement. Mais lorsque ce dinosaure se retrouvait dos à terre, c'en était souvent fini de lui. Son ventre nu, sans armure, était son seul véritable point faible !

Génius

massue

Comment les dinosaures herbivores faisaient-ils pour se défendre contre les féroces carnivores ?

Amin, 9 ans

Cher Amin,

Comme je l'écrivais à Émilio, certains dinosaures herbivores étaient protégés par une véritable armure. Mais, d'autres herbivores étaient dotés de systèmes de défense différents ! *Apatosaurus*, un dinosaure à long cou, avait une longue queue qu'il pouvait utiliser comme un fouet. Mais c'était surtout par sa taille qu'il impressionnait ses adversaires. *Triceratops* avait, quant à lui, une corne au bout du nez et deux grandes cornes sur le front. Il pouvait s'en servir pour se défendre contre les

tête de *Triceratops*

grands carnivores. En plus de ces cornes, son cou était protégé par une large collerette qui empêchait ses ennemis d'y planter leurs crocs. Parmi les petits dinosaures herbivores, certains étaient des champions de la course ; cela leur permettait de fuir au moindre danger. Tu sais maintenant, Amin, que les dinosaures herbivores avaient de nombreux moyens pour se défendre ou échapper aux dents aiguisées des carnivores.

À bientôt j'espère,
Génius

Hypsilophodon courait très vite. Ses jambes, très longues et puissantes, lui permettaient de s'éloigner rapidement quand un dinosaure carnivore surgissait.

Bonjour prof ! Ma famille et moi rentrons d'une exposition sur les dinosaures du Mésozoïque. Il y avait un très beau *Stegosaurus* avec de grandes plaques sur le dos. Chez nous, personne n'est d'accord sur leur rôle ! Pouvez-vous nous éclairer ?
Merci,
Anna, 10 ans

Très chère Anna,

Voici une question très intéressante. *Stegosaurus* était, comme tu sembles déjà le savoir, un « dinosaure à plaques ». Il portait, en effet, deux rangées de plaques sur son dos. Tu sais, le rôle que jouaient ces plaques reste un peu mystérieux pour les scientifiques. Ce qui est presque certain, toutefois, c'est

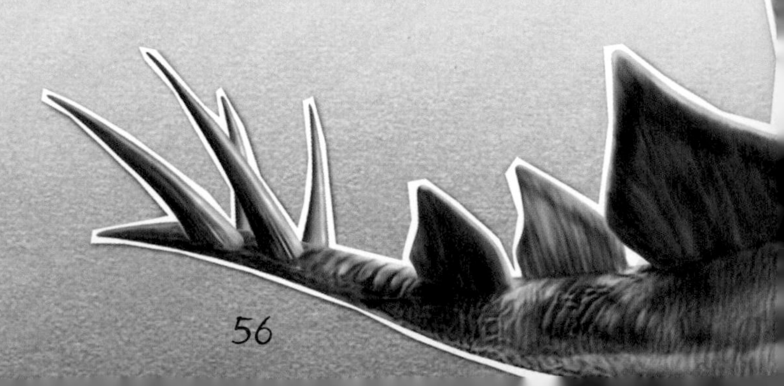

qu'elles ne lui permettaient pas de se défendre. Les scientifiques pensent plutôt qu'elles servaient à abaisser ou augmenter la température du corps du dinosaure. Comment ? Eh bien vois-tu, les plaques de *Stegosaurus* étaient recouvertes d'une fine couche de peau dans laquelle se trouvaient de très nombreux vaisseaux sanguins. Lorsqu'il avait froid, on pense que *Stegosaurus* tournait ses plaques vers le soleil. Le sang qui parcourait les nombreux vaisseaux sanguins à l'intérieur des plaques se réchauffait grâce aux rayons du soleil.

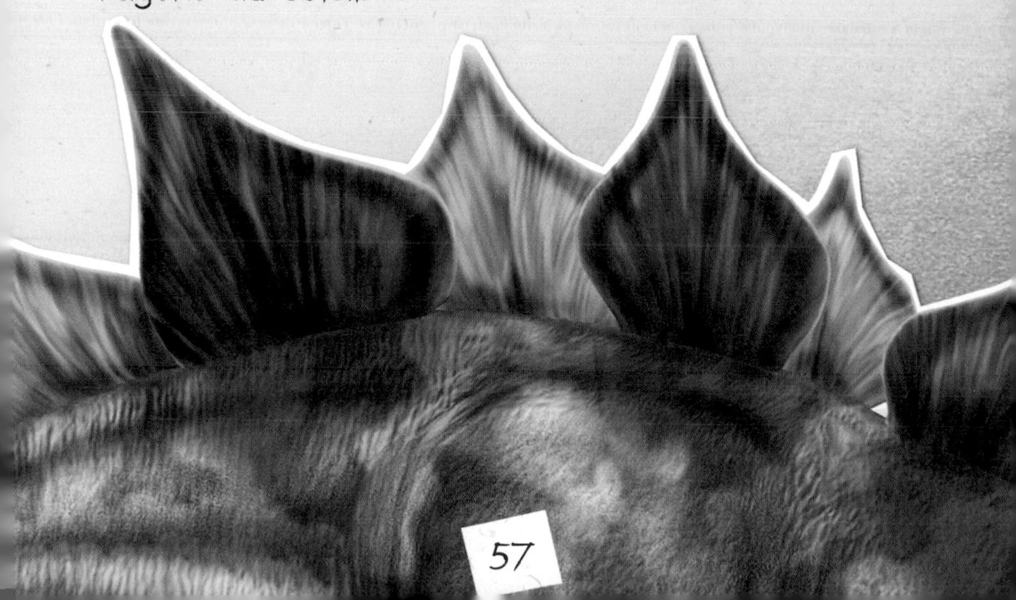

Cela avait pour effet d'augmenter la température du corps du dinosaure. À l'inverse, s'il avait chaud, *Stegosaurus* exposait seulement la tranche (le côté fin de ses plaques) au soleil. Il empêchait ainsi la température de son corps d'augmenter. Ingénieux, n'est-ce pas ? Il y a une autre chose que ta famille et toi devez savoir, Anna. Certains paléontologues pensent que les plaques des stégosaures mâles changeaient de couleur pour attirer les femelles pendant la saison des amours. Dis-moi, ta famille et toi, à quoi pensiez-vous que ces jolies plaques pouvaient servir ?

Génius

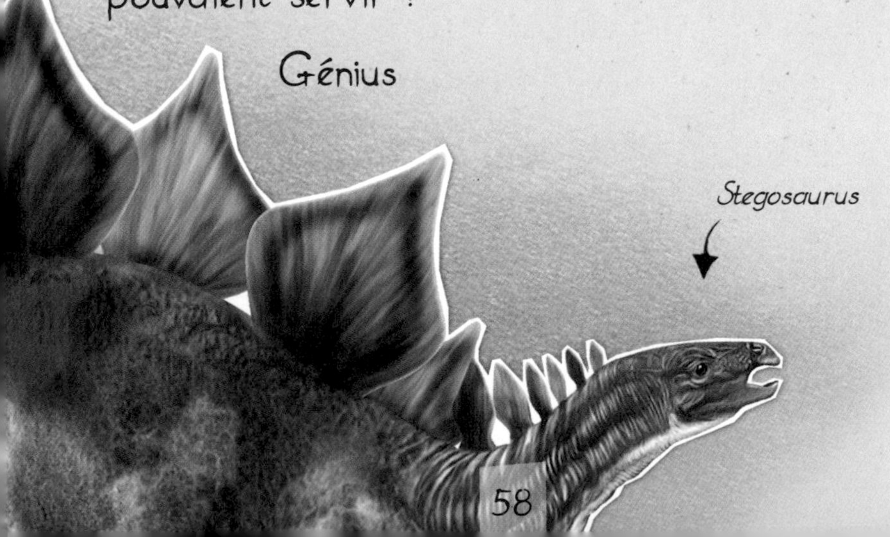

Quel était le dinosaure le plus rapide ?

Merci beaucoup.

Lucie, 6 ans

Chère Lucie,

Un des dinosaures les plus rapides se nomme *Struthiomimus*, ce qui signifie « qui ressemble à une autruche ». Pourquoi ? Parce qu'il ressemblait en effet beaucoup à nos autruches actuelles et qu'en plus, il courait au moins aussi vite qu'elles ! D'ailleurs, si on imaginait une course de vitesse entre une autruche, un homme et *Struthiomimus*, ce dernier aurait pu être le vainqueur. Il pouvait courir à près de 80 km/h, alors que l'autruche peut atteindre 70 km/h. Quant à l'homme, il serait loin derrière car même nos champions de la course de 100 mètres ne dépassent pas les 36 km/h ! Lorsque *Struthiomimus* courait, sa queue très longue lui servait de balancier, c'est-à-dire qu'elle le maintenait en équilibre et lui évitait de tomber vers l'avant. Je dois ajouter, Lucie, que ses pattes étaient spécialement faites pour la course. Les os de ses pieds étaient très longs et seuls ses doigts touchaient le sol. Il pouvait donc très vite les poser sur le sol, les relever, puis les déplacer. Sa cheville, très haute par rapport au sol, lui permettait de faire de grandes enjambées... Comme j'aimerais embarquer à bord d'une machine à voyager dans le temps pour assister à une course de *Struthiomimus*. Tu viendrais avec moi, Lucie ?

À bientôt,
Génius

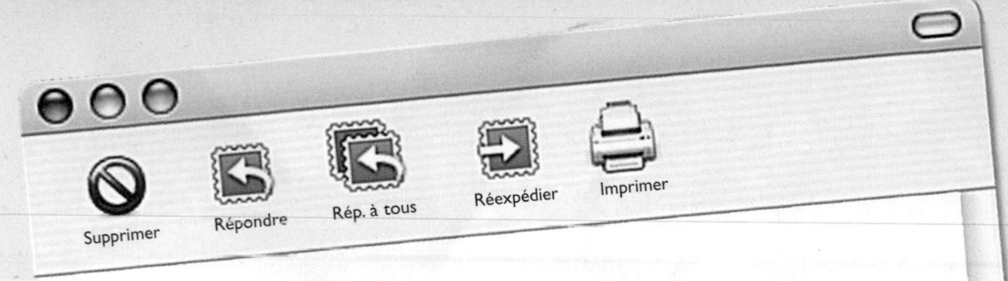

De : Camille
Sujet : La couleur des dinosaures
Date : 9 octobre 2005
À : Professeur Génius

Bonjour prof !

Dans mes livres sur les dinosaures, les illustrations montrent le même dinosaure avec des couleurs de peau différentes. Pourquoi ?

Merci pour votre réponse,
Camille, 10 ans

Chère Camille,

Voilà une question très intelligente ! La reconstitution de la peau d'un dinosaure est un vrai défi pour les scientifiques. Sais-tu pourquoi ? Eh bien, tout d'abord parce que la peau fossilise très rarement (elle se décompose très rapidement quand le dinosaure meurt). Les paléontologues ont tout de même retrouvé quelques empreintes de peau dans la roche. Grâce à ces traces, ils ont pu découvrir que la peau des dinosaures était recouverte d'écailles, de poils ou de plumes. Mais de quelle couleur était-elle ? C'est là que se trouve la difficulté... Les substances responsables de la coloration, les pigments, sont trop fragiles pour résister au temps qui passe. La couleur ne survit donc pas au processus de fossilisation... Impossible pour les scientifiques de déterminer la couleur exacte des dinosaures ! Ils imaginent alors la couleur des peaux et se transforment en véritables artistes. Ils s'inspirent des animaux actuels comme les crocodiles, les lézards et les oiseaux. Ainsi, dans chaque représentation de dinosaure que tu vois, il y a une petite part d'imaginaire.

C'est pour ça que tu ne trouveras jamais un dinosaure ayant les mêmes couleurs...

Et toi, Camille, si tu avais à les peindre, quelles couleurs leur donnerais-tu ?

Envoie-moi tes suggestions !

Ton ami Génius

Cher professeur,

Quel était le plus grand dinosaure, celui qui avait le plus long cou et celui qui avait la plus longue queue ?

Isaac, 7 ans

Tu as l'air d'aimer les records, mon petit Isaac ! Avant de te dévoiler le nom des dinosaures vainqueurs, il faut qu'une chose soit bien claire pour toi : il est très possible que les noms que je te donne aujourd'hui aient changé au moment où tu me lis. Je t'explique. Comme je le précisais à Thomas (à la page 17), les scientifiques ne connaissent pas tous les dinosaures qui ont existé. En fait, il reste beaucoup de fossiles à déterrer et donc plein de nouvelles espèces de dinosaures à découvrir. Qui sait, peut-être que demain les paléontologues mettront au jour une espèce encore plus lourde ou plus grande que celles que nous connaissons aujourd'hui ! Il y a autre chose, Isaac : la formation d'un fossile est un phénomène très rare. À cause de cela, il est très possible que plusieurs espèces de dinosaures ne se soient jamais « figées » en fossiles. Sans ces traces, impossible pour nous de les connaître...

Voyons tout de même les dinosaures qui détiennent actuellement les records :

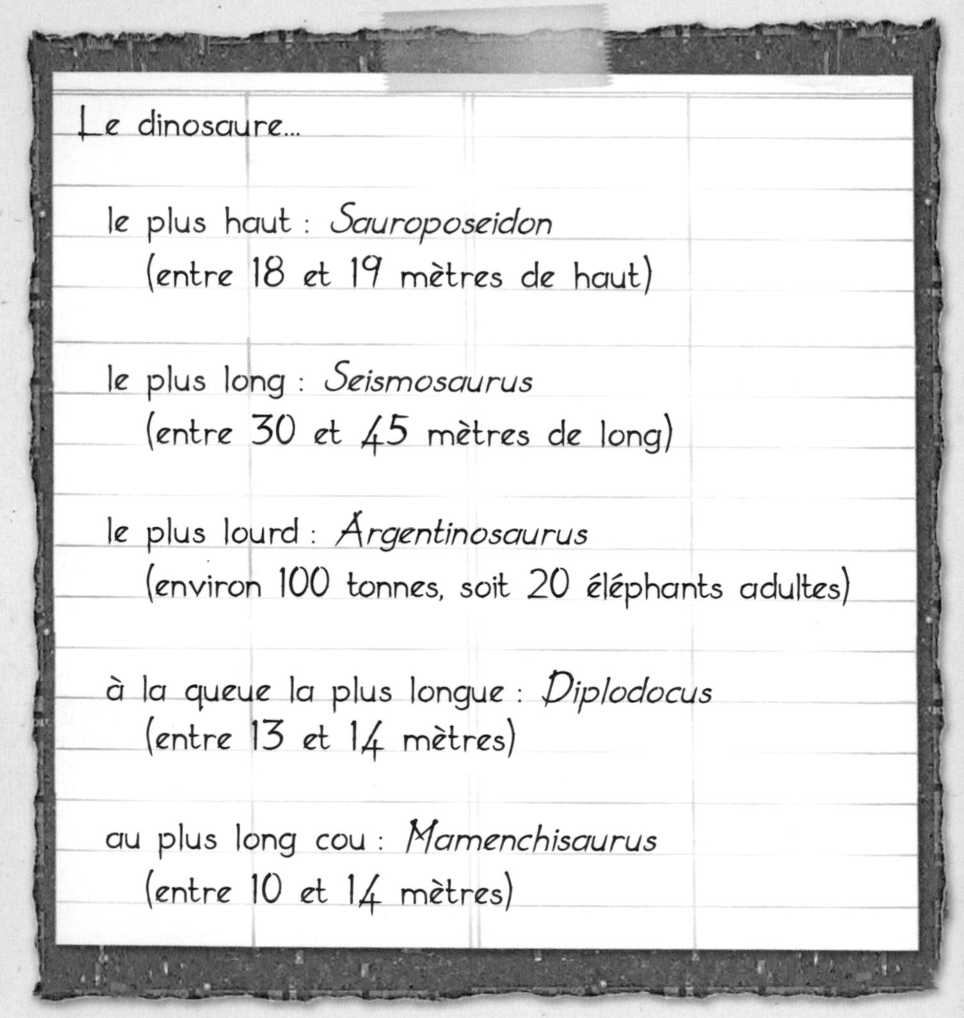
Le dinosaure...

le plus haut : *Sauroposeidon*
(entre 18 et 19 mètres de haut)

le plus long : *Seismosaurus*
(entre 30 et 45 mètres de long)

le plus lourd : *Argentinosaurus*
(environ 100 tonnes, soit 20 éléphants adultes)

à la queue la plus longue : *Diplodocus*
(entre 13 et 14 mètres)

au plus long cou : *Mamenchisaurus*
(entre 10 et 14 mètres)

Bien à toi,
Génius

Professeur Génius, j'ai remarqué que certains dinosaures avaient une sorte de trompette sur la tête. Est-ce qu'elle leur servait pour faire des sons ?

Merci.

Tommy, 9 ans

Mon cher Tommy,

Ces dinosaures qui portent cette drôle de trompette sur le crâne font partie de la famille des Hadrosaures ou, si tu préfères, des dinosaures à bec de canard. Celui dont tu parles, avec sa trompette sur la tête, c'est *Parasaurolophus*. Sa longue crête creuse, en os, a piqué la curiosité des scientifiques qui l'ont beaucoup étudiée. Ils ont découvert qu'elle était reliée au système respiratoire de l'animal. L'air respiré pouvait passer de la gueule à la crête osseuse pour être ensuite rejeté par les naseaux.

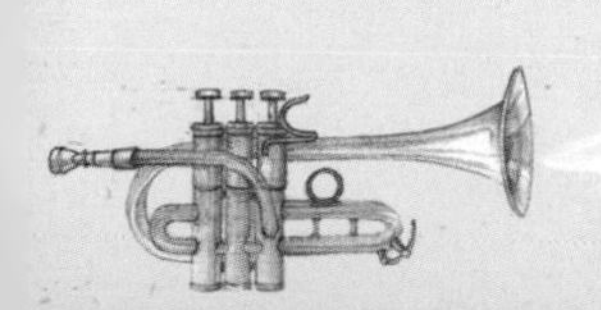

Les scientifiques supposent qu'avec cette trompette, *Parasaurolophus* émettait un son grave très puissant qui s'entendait des kilomètres à la ronde. La plupart de ces dinosaures vivaient en troupeaux et ce chant retentissant était sûrement bien pratique ! Imagine un peu : un grand carnivore comme *Tyrannosaurus rex* se promène dans le coin et repère un troupeau de *Parasaurolophus*. Avec appétit, il s'approche doucement dans l'espoir de faire un bon repas. Malheureusement pour lui, un membre du troupeau l'aperçoit et souffle dans sa « crête-trompette ». Ce faisant, il avertit le troupeau qu'un danger rôde. C'est la fuite

et *Tyrannosaurus* perd un copieux repas...
Tu l'as bien compris, un des rôles importants de cette crête est d'avertir le troupeau d'un danger. Toutefois, on lui attribue d'autres rôles, comme celui de faire fuir ses rivaux, séduire les femelles pendant la saison des amours, ou tout simplement de communiquer.

Bien sûr, je te parle de *Parasaurolophus*, mais les autres espèces d'Hadrosaures possédaient aussi des crêtes. Chacune étant différente, elle émettait un son différent. Chaque espèce disposait donc de sa propre « voix ».

Ton ami Génius

C'est à l'intérieur de cette crête que l'air résonne et forme un son.

Cher professeur,
mon grand frère Jérémie m'assure
que les dinosaures pondaient des
œufs comme les poules. Il me
fait souvent des blagues, alors
j'aimerais savoir si c'est vrai.
Simon, 11 ans

Bonjour Simon !

Même s'il te met souvent en boîte, Jérémie a tout à fait raison : les dinosaures pondaient bien des œufs, comme les poules et la plupart des reptiles actuels, d'ailleurs ! On dit qu'ils étaient ovipares. Par contre, leurs œufs étaient entre 2 à 12 fois plus longs que ceux des poules !

Tu sais, les œufs et les nids de dinosaures que les paléontologues ont retrouvés nous révèlent une facette intéressante de la vie des dinosaures. Les scientifiques se sont aperçus que les dinosaures creusaient des nids et y pondaient entre une dizaine et une quarantaine d'œufs selon les espèces. Quelques-uns les couvaient, comme *Oviraptor*, mais la plupart étaient trop lourds (ils auraient pu écraser leurs petits...). Ils recouvraient alors leur nid de sable ou de feuillages qui, en pourrissant, généraient de la chaleur et gardaient les œufs au chaud. Savais-tu que même *Tyrannosaurus rex* était un parent attentionné ? On a du mal à imaginer ce féroce carnivore cajolant ses petits... mais c'était pourtant le cas !

Il nourrissait ses petits et surveillait les alentours du nid pour guetter les prédateurs intéressés par ces proies faciles. Attendrissant, non ?

Bien à toi,

Génius

œufs de dinosaures datant du Crétacé

Monsieur le professeur,
est-ce vrai que le dinosaure *Oviraptor* volait les œufs des autres dinosaures ?

Merci.

Chloé, 7 ans

Chère Chloé,

Le pauvre *Oviraptor* traîne depuis bien longtemps sa mauvaise réputation de voleur d'œufs ! Mais voyons un peu ce qu'il en est... Au début des années 1920, le Muséum américain d'histoire naturelle de New York organisait une expédition pour chercher des fossiles en Mongolie, un pays situé juste au-dessus de la Chine, en Asie. Voici ce que les chercheurs ont alors découvert : des fossiles de *Protoceratops* (de petits dinosaures à cornes), un nid rempli d'œufs de dinosaures, ainsi que des fossiles d'une autre petite espèce de dinosaure. La position des restes de ce petit dinosaure donnait l'impression que le coquin était mort pendant qu'il se faisait un festin des œufs de *Protoceratops* ! Les scientifiques le nommèrent alors *Oviraptor*, ce qui signifie « voleur d'œufs ». Mais voilà, Chloé, l'histoire ne s'arrête pas là ! Quelques 70 ans plus tard, en 1993, des chercheurs ont découvert de nouveaux fossiles d'*Oviraptor* sur un nid rempli d'œufs semblables à ceux qu'on avait trouvé autour de 1920.

À l'intérieur de ces œufs, certains embryons étaient fossilisés. Les scientifiques ont étudié ces bébés dinosaures et tu sais ce qu'ils ont découvert ? Que ces œufs étaient en fait ceux... d'*Oviraptor* ! Loin de voler les œufs d'un autre, *Oviraptor* était mort en protégeant ses petits... Quelle surprise pour les chercheurs !

Aujourd'hui, même si la vérité est rétablie, certains pensent encore qu'*Oviraptor* mangeait les œufs des autres dinosaures. Mais maintenant que tu connais toute l'histoire, tu pourras te porter à sa défense et éclairer la lanterne de tes amis !

Amitiés,

Génius

Cher professeur Génius,
j'aimerais savoir pourquoi les dinosaures sont disparus et quand ça s'est passé.
À bientôt.
Hugo, 9 ans

Cher Hugo,

Les dinosaures sont disparus à la fin du Crétacé, il y a 66 millions d'années. Et ils ne sont pas les seuls ! Savais-tu que près de 7 espèces vivantes sur 10 sont disparues en même temps qu'eux ? Tu imagines bien que seul un terrible évènement a pu causer la disparition de tant d'animaux et de végétaux ! Bien sûr, les chercheurs ont tenté d'expliquer cette catastrophe. Certains croient qu'une gigantesque météorite de plus de 10 kilomètres de large aurait frappé la Terre de plein fouet (une météorite est une roche venue de l'espace). Imaginons un peu le scénario qu'ils proposent...

En s'écrasant sur la Terre, la météorite déclenche la formation d'immenses vagues puis d'énormes feux de forêt. De nombreuses espèces meurent, noyées ou piégées par les flammes. Le choc transporte également une grosse couche de poussière vers le ciel. Cette poussière y reste suspendue pendant plusieurs mois, voire plusieurs années. À cause d'elle, les rayons du soleil n'éclairent plus et ne réchauffent plus la planète. Tu imagines sans doute le désastre ! Plus de lumière, la température qui baisse, le paysage dévasté... Les plantes terrestres et marines (les algues) sont les premières à mourir car, sans la lumière du soleil, elles ne peuvent pas vivre ! Sans plantes à déguster, les animaux herbivores meurent de faim. Privés de leur nourriture, les carnivores meurent à leur tour...

D'autres chercheurs pensent que l'éruption d'un grand nombre de volcans aurait pu projeter une importante quantité de gaz toxiques dans l'air. Beaucoup d'espèces vivantes seraient mortes en respirant cet air empoisonné.

Une autre théorie suggère qu'une importante baisse de la température sur la Terre aurait tué les espèces qui n'étaient pas capables de supporter le froid. Pour d'autres chercheurs, c'est l'ensemble de ces phénomènes (la météorite, les éruptions volcaniques et la baisse de la température) qui aurait provoqué la disparition d'un grand nombre d'espèces au Crétacé.

En fait, Hugo, les preuves accumulées par les scientifiques indiquent que la cause de la disparition des dinosaures serait, vraisemblablement, la chute d'une météorite.

Ton ami Génius

Cher professeur Génius, depuis que j'ai vu le film « Jurassic Park », je fais des cauchemars et j'ai peur que les dinosaures reviennent sur la Terre.
Est-ce que c'est possible ?

Sarah, 7 ans

Ma chère petite Sarah,

Je comprends ta peur ! Moi non plus, je n'aimerais pas me retrouver face à face avec ces animaux impressionnants...
Je te rassure tout de suite : les scientifiques ne sont pas près de ramener les dinosaures à la vie. Il faudrait, pour cela, être en possession d'un élément absolument essentiel : l'ADN (Acide DésoxyriboNucléique)... Sais-tu ce qu'est l'ADN ? Je t'explique. Notre corps, comme tous les êtres vivants, est composé de milliards de cellules.

partie d'ADN

On pourrait comparer celles-ci aux briques qu'on utilise pour bâtir nos maisons. L'ADN est présent dans chacune de nos cellules. Cet élément est très important car il contient le code de fabrication de tous les êtres vivants. Par exemple, l'ADN d'un dinosaure porte toutes les informations nécessaires pour fabriquer un nouveau dinosaure... S'ils possédaient cet ADN, les scientifiques pourraient peut-être alors « recréer » un dinosaure. Mais voilà, ils ne le possèdent pas ! Tu dois savoir que l'ADN est un produit très fragile. Celui qui se trouve dans les cellules qui forment les os, les dents ou la peau des fossiles dont nous disposons n'a pas résisté au temps. C'est tout de même long, 66 millions d'années ! Il y a donc peu de chances que tu te retrouves un jour face à un dinosaure, chère Sarah ! Tu peux dormir sur tes deux oreilles.

Je t'embrasse,
Ton ami Génius

Monsieur Génius,
Est-ce que tous les dinosaures ont vraiment disparu lors de la catastrophe, il y a 66 millions d'années ?
Merci d'avance.
Maxime 10 ans

Cher Maxime,

Tu me poses là une question passionnante ! Je dois te dire que tous les dinosaures sont disparus au cours de la catastrophe du Crétacé. Mais pas tout à fait sans laisser de traces... Ils ont laissé une descendance... À ton avis, quel animal d'aujourd'hui pourrait avoir un lien de parenté avec les dinosaures ? Attends un peu, je te mets sur la voie. Si tu veux rencontrer un descendant de dinosaure aujourd'hui, il te suffit de visiter une volière, une basse-cour ou, de lever les yeux vers le ciel... Eh oui, tu l'as deviné ! Les scientifiques croient que les descendants des dinosaures sont… les oiseaux ! Comment une telle idée leur est-elle venue ? Je t'explique.

Tout commence en Allemagne en 1860. Des ouvriers travaillant dans une carrière découvrent une empreinte de plume datant de 150 millions d'années. Les savants ont alors baptisé son propriétaire *Archaeopteryx*, ce qui signifie « aile ancienne ». Un an plus tard, un squelette entier, entouré de plumes identiques à celle qui avait été trouvée, est découvert au même endroit. Le squelette du curieux animal ressemble beaucoup à celui d'un dinosaure. Il a une queue osseuse, des doigts griffus, des dents pointues et de longues pattes arrière. Mais ce n'est pas tout ! En plus d'être couvert de plumes, il possède des membres antérieurs en formes d'ailes.

fossile d'*Archaeopteryx*

Cela laisse penser qu'*Archaeopteryx* pouvait voleter d'arbre en arbre pour attraper des insectes au vol. Cette découverte est fantastique, Maxime ! Elle nous indique que le premier « oiseau » était en fait un dinosaure ! Je dois te préciser que de récentes découvertes en Chine renforcent cette théorie : les chercheurs ont découvert des empreintes de plumes sur de nombreux squelettes fossilisés de dinosaures carnivores. Nos oiseaux d'aujourd'hui ne ressemblent plus à des dinosaures, bien sûr. Mais il nous est permis de croire qu'ils sont les descendants de ce premier dinosaure volant ! Je parie que grand-père *Archaeopteryx* serait bien fier de sa progéniture, aujourd'hui...

Bien à toi,

Génius

Archaeopteryx

Cher professeur,
Ma sœur et moi aimerions beaucoup trouver des fossiles de dinosaures. Où devons-nous chercher pour en trouver ? Aussi, pouvons-nous savoir où les chercheurs ont retrouvé le plus de fossiles de dinosaures ?
Merci beaucoup.
Charlotte et Léa, 8 et 5 ans

Chère Charlotte et chère Léa,

Je vois que j'ai affaire à deux petites détectives en herbe ! Ça me rappelle mes vacances avec ma sœur, quand nous étions enfants : nous nous amusions à trouver le plus de fossiles possible. Nous furetions partout, dans les graviers, au bord des chemins, à côté de notre maison... Je dois vous avouer que ma sœur me battait souvent à plate couture car elle avait l'œil, la curieuse !

fossile de coquillage

Bien sûr, ce n'était pas des fossiles de dinosaures que nous dénichions mais plutôt des coquillages.

Trouver des fossiles de dinosaures aujourd'hui, c'est loin d'être facile ! Voyez-vous, avant de partir à l'aventure, les chercheurs passent des centaines d'heures à fouiller dans les livres pour déterminer où se trouvent les sols susceptibles d'« accueillir » des fossiles, et si ces mêmes sols correspondent à une roche âgée entre 230 et 66 millions d'années (rappelez-vous, c'est la période durant laquelle vécurent les dinosaures). Une fois ces données en main, ils peuvent organiser une expédition et partir avec leur équipe.

Les sites les plus riches en fossiles de dinosaures se trouvent en Asie (Chine, Mongolie), en Amérique du Nord, en Amérique du Sud (Argentine), en Afrique (Tanzanie) et en Australie. Mais il reste encore de nombreuses régions du monde à explorer et je suis persuadé que l'avenir nous réserve de bien belles surprises. Qui sait ? Peut-être qu'un jour l'une de vous deux fera partie d'une de ces expéditions et qu'elle découvrira une nouvelle espèce de dinosaure ?

Je vous embrasse
Génius

Cher professeur Génius,
Quand a-t-on trouvé les tout premiers fossiles d'un dinosaure ?
Merci.
Pierre, 8 ans

Cher Pierre,

Tu sais, je suis persuadé que des fossiles de dinosaures ont été retrouvés par des femmes et des hommes de toutes les époques. Mais nos lointains ancêtres étaient bien loin de se douter que des créatures comme les dinosaures aient pu exister... Et c'est normal ! Les scientifiques s'intéressent aux fossiles depuis seulement 200 ans. Depuis, nos connaissances scientifiques ont beaucoup progressé. Elles nous ont permis de mieux comprendre l'histoire de la vie sur notre Terre. Les tout premiers fossiles de dinosaures ont été identifiés, il y a un peu plus de 160 ans. Voici comment cela s'est passé...

Entre 1818 et 1824, le scientifique anglais William Buckland analyse les os fossilisés d'un reptile gigantesque. Il le nomme *Megalosaurus*, ce qui signifie « lézard géant ». À la même époque, le médecin anglais Gideon Mantell fait une découverte intrigante : des dents particulièrement grandes encore emprisonnées dans la pierre. Le médecin observe ces dents et trouve qu'elles ressemblent beaucoup aux dents des iguanes. Elles sont juste beaucoup plus grandes ! Il pense alors qu'il s'agit des dents d'un iguane géant. Mantell baptise donc son propriétaire *Iguanodon*, ce qui signifie « reptile aux dents d'iguane ».

Un iguane est un gros lézard qui vit en Amérique centrale et en Amérique du Sud. Les plus longs spécimens peuvent mesurer jusqu'à 2 mètres de long (incluant la queue).

En 1842, alors qu'il étudie des fossiles géants découverts en Angleterre, le paléontologue britannique Richard Owen se rend compte que ces reptiles sont bien différents de tous ceux qu'il connaît. Ils sont bien plus grands, plus gros... Il décide alors de les classer dans une famille à part qu'il nomme « dinosaure ». Le mot dinosaure vient du grec, une langue très ancienne qui a donné naissance à plusieurs mots que l'on utilise aujourd'hui. « Dino » vient de *deinos* qui veut dire terrible et « saure » de *sauros* qui veut dire reptile. Monsieur Owen n'est pas le premier à avoir trouvé des fossiles de dinosaures, mais il est certainement le premier à avoir identifié ces « terribles lézards »...

À très bientôt Pierre,

Génius

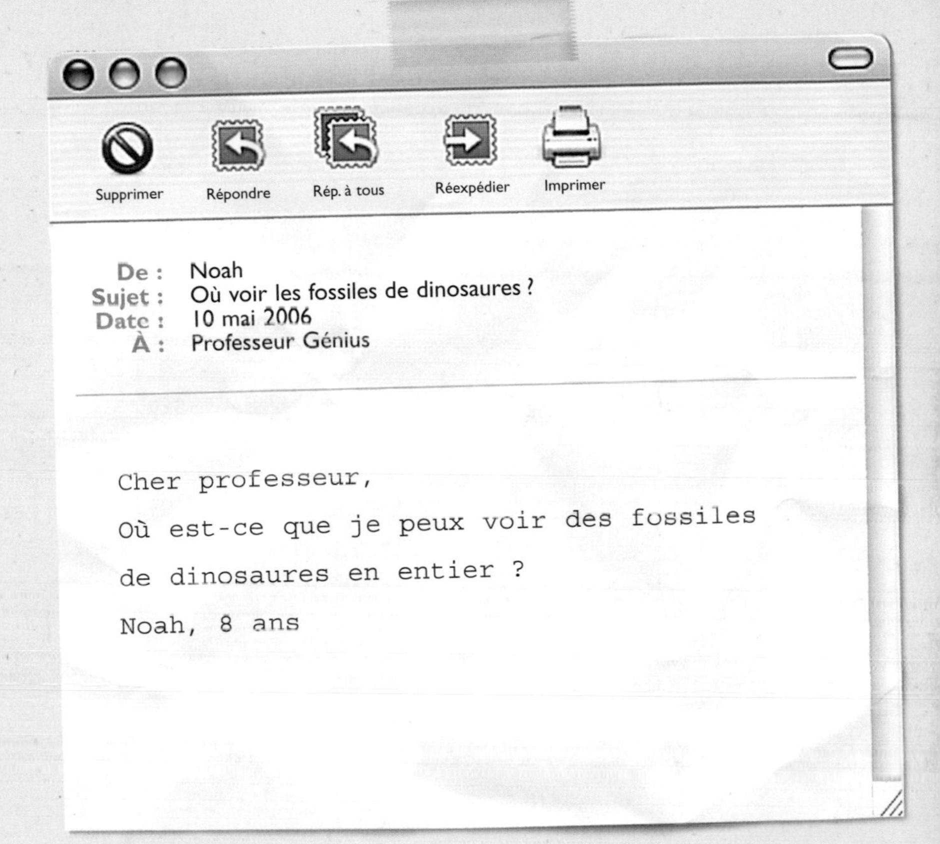

Bonjour Noah !

À ta question, voici une réponse simple : tu peux admirer des fossiles de dinosaures entiers dans des musées, aux quatre coins de la planète. Je te joins une liste des grands musées qui exposent plusieurs espèces de dinosaures.

Muséum national d'histoire naturelle,
Paris, France
Muséum d'histoire naturelle,
Londres, Grande-Bretagne
Muséum d'histoire naturelle,
Berlin, Allemagne
Muséum américain d'histoire naturelle
New York, États-Unis
Royal Tyrrell Museum,
Drumheller, Alberta, Canada
Musée des dinosaures de Zigong,
Zigong, Sichuan, Chine
Muséum du Queensland,
Brisbane, Queensland, Australie

Les squelettes que tu découvres là-bas sont des reconstitutions car il est très rare de retrouver des squelettes fossilisés de dinosaures entiers. Mon ami Jack S. Kelleth, qui est professeur à l'École de paléontologie moderne, m'a raconté qu'il arrivait souvent qu'avant la fossilisation du dinosaure, les os de son squelette s'éparpillent : soit à cause des animaux qui passaient à côté du cadavre et qui déplaçaient ses restes, soit à cause du courant des rivières qui dispersait les os. Cela explique pourquoi, très souvent, les chasseurs de fossiles ne retrouvent qu'un squelette incomplet. La plupart du temps, ils ne dénichent que quelques os isolés ou quelques dents. Ces morceaux de squelettes sont souvent exposés dans des vitrines, avec des gastrolithes (les pierres que les dinosaures avalaient pour bien digérer), des coprolithes (les crottes fossilisées) et des empreintes de pas et de peau.

Amuse-toi bien lors de ta prochaine visite dans un de ces musées !

Ton ami Génius

Index

Mille MERCIS à toutes les personnes qui ont permis que ce carnet voie le jour !

À Martine Podesto, ma fidèle amie, qui m'encourage à poursuivre mes projets.

À Claire de Guillebon et à Cécile Poulou-Gallet qui m'ont aidé à trouver les bons mots.

À Anouk Noël, à Manuela Bertoni et à Alain Lemire pour leurs coups de crayon magiques qui ont transformé mes pages.

À Josée Noiseux et Danielle Quinty pour leurs précieuses suggestions de mise en pages et leurs conseils graphiques

À Nathalie Fréchette et à Odile Perpillou qui ont magnifiquement géré la production de ce carnet.

À Gilles Vézina pour avoir fouillé mes archives photos et à Émilie Corriveau et Mathieu Douville pour l'intégration.

À mes amis Claude Frappier, pour la révision des textes, et Mario Cournoyer, du Musée de paléontologie et de l'évolution de Montréal, pour la validation du contenu de ce carnet.

À Caroline Fortin, François Fortin et Jacques Fortin pour leur confiance et leur appui.

À Théo et Olivier pour leurs ravissants dessins.

À tous les enfants qui m'ont envoyé leurs questions si pétillantes et colorées. J'aime recevoir vos lettres et vos questions de petits génies. Continuez à m'écrire !

Je vous donne rendez-vous pour mon prochain carnet !

Professeur Génius

Crédits photos

p. 8 : Universitat de les Îlles Balears / p. 39 : Roger Weller / p. 42 : Matthew Hayward / p. 73 : Courtesy John Adamek, EDCOPE Enterprises / p. 83 : Keijo Karvonen / p. 85 : Dave Dyet